小兔彼得和他的朋友们 II

The World of Peter Rabbit

【英】毕翠克丝·波特（Beatrix Potter）著　曹剑 译

APETIME 时代出版
时代出版传媒股份有限公司
安徽教育出版社

目 录

GINGER & PICKLES

一只凶猛的坏兔子的故事

1903

这是一只凶猛的坏兔子。你看，他那野蛮的胡须、他的爪子，还有他那向上翘起的小尾巴。

这是一只性情温和的好兔子。他的妈妈给了他一根胡萝卜。

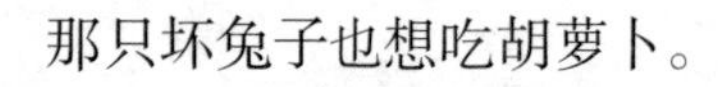
那只坏兔子也想吃胡萝卜。

他不是“请”人家将胡萝卜送给他。

他一把抢过了胡萝卜！

另外，他还十分卑劣地抓伤了那只好兔子。

好兔子默默地走开了，躲进一个小洞里。他感到悲哀极了。

这是一个手握长枪的人。

他看到，有个东西正坐在一张长椅上。他以为，那是一只很稀奇的鸟！

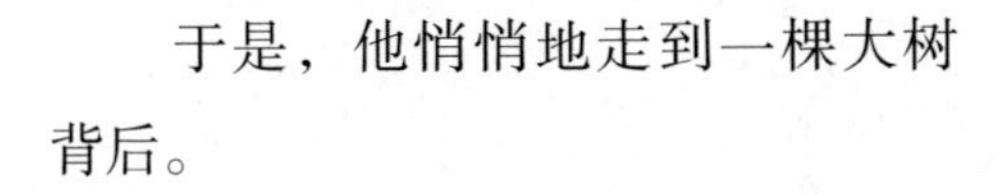

于是，他悄悄地走到一棵大树背后。

然后，他开了枪——“砰”！

这就是发生的一切。

不过，当这个人端着枪跑过去的时候，长椅上只剩下这些东西了！

好兔子躲在洞穴中，外面发生的一切他全看到了。

他看到坏兔子痛苦地逃走了——没有了尾巴，也没有了胡须！

娃娃小姐的故事

1906

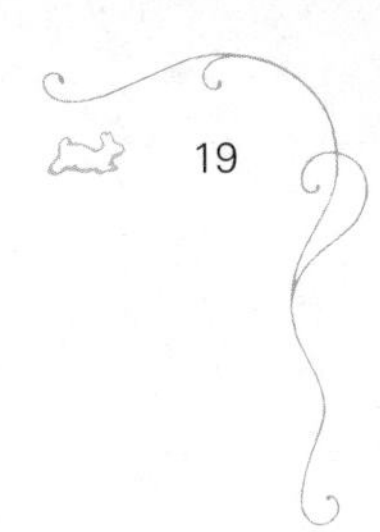

这是一只小猫，被大家称作娃娃小姐。她认为，她听到了一只老鼠的声音。

这是一只躲在碗柜后面的老鼠，他探头探脑地向外偷看，和娃娃小姐开着玩笑。他并不怕一只小猫。

娃娃小姐跳了过去，只是太慢了！她不但没有捉住老鼠，还撞到了自己的脑袋。

她想，碗柜实在是太硬了！

这时，老鼠正在碗柜顶上，看着娃娃小姐呢。

娃娃小姐用一块抹布包住自己的脑袋，然后坐在了火炉前。

老鼠想，她好像伤得不轻啊。想到这里，他顺着拉铃的绳子滑了下来。

娃娃小姐看上去越来越不舒服了。这时，老鼠小心地走了过来。

娃娃小姐用爪子抱着她那可怜的脑袋，然后透过抹布上的一个小洞看着老鼠。老鼠已经离她非常近了。

突然——娃娃小姐猛地扑向老鼠！

由于老鼠戏弄过娃娃小姐——娃娃小姐认为，她也要戏弄一下老鼠。娃娃小姐的行为，可一点儿也不好！

她用抹布包好老鼠，像球一样抛来抛去。

可是，她忘了抹布上的那个小洞。当她解开抹布——老鼠没有了！

老鼠早就钻出抹布，逃走了。看啊，他在碗柜顶上跳起了快步舞！

小猫汤姆的故事

1907

从前，有三只小猫，他们的名字是——米敦丝、小猫汤姆和娃娃。

他们每个都有一身可爱的小皮衣。他们一会儿在门口的台阶上翻筋斗，一会儿又在土地上戏耍起来。

有一天，他们的妈妈——塔比瑟·特维切特夫人——邀请了朋友来家里喝茶，于是她将三只小猫从外面捉回来，想赶在尊贵的客人到来之前，给他们梳洗打扮好。

首先，她洗净了他们的脸（这只小猫就是娃娃）。

然后，她理顺了他们身上的毛（这只小猫就是米敦丝）。

接下来，她又梳理了他们的尾巴和胡须（这只小猫就是汤姆）。

汤姆实在太顽皮，他的小爪子总是不停地抓来抓去。

塔比瑟夫人给娃娃和米敦丝穿上了干净的围裙和领布。然后，她又从衣柜的抽屉里拿出一身虽然高雅、穿上却很不舒服的衣服，准备打扮她的儿子汤姆了。

汤姆胖乎乎的，而且他已经长大了，因此衣服上的几枚纽扣都被他撑掉了。他的妈妈只好将那些纽扣重新钉上去。

三只小猫梳妆整齐后，塔比瑟夫人为了专心烤热奶油面包，很不明智地将三只小猫放出家门，要他们到花园里去走走。

“别弄脏了你们的衣服啊，孩子们！你们应该用两条后腿走路，离那些脏乎乎的土坑远一点儿，还要躲开母鸡萨莉·汉妮·彭妮，千万不要走近猪舍和那些水鸭啊！”

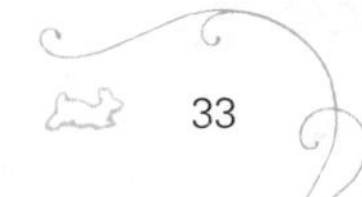

娃娃和米敦丝摇摇晃晃地走在花园的小路上。不一会儿，她们就踩到了她们的小围裙上，全部摔了个嘴啃泥。

当她们站起身来的时候，衣服上已经染上了几块绿色的斑点。

“让我们爬上假山，到花园的围墙上去坐坐吧。”娃娃提出建议。

于是，她们把领布转到背后，蹦蹦跳跳地向高处跑去。这时，娃娃的白色领布掉到了大路上。

汤姆的后腿套在裤子里，所以他一点儿都跳不起来，只能拨开那些蕨草，一步一步地蹭到假山上，衣扣也掉得东一个西一个的。

当汤姆走到围墙顶上的时候，他的衣服已经变得七扭八歪。

娃娃和米敦丝试着帮汤姆将衣服拉扯整齐，可是他的帽子却又掉下了围墙，而且剩下的几颗纽扣也一起掉了下去。

正当他们狼狈不堪的时候，忽然传来一阵“啪嗒啪嗒”的声音！原来，三只水鸭沿着坑坑洼洼的大路走了过来。他们排着整齐的队列，迈着一摇一摆的鸭步——“啪嗒啪嗒！”“啪嗒啪嗒！”

三只水鸭停下脚步，站成了一排，打量着三只小猫。水鸭们的眼睛非常非常小，可是现在却露出了惊讶的表情。

然后，两只鸭子——丽贝卡和杰迈玛，从围墙下捡起帽子和领布，戴到了她们自己的头上。

米敦丝大笑起来，可是却不小心从围墙上掉了下去。娃娃和汤姆也跟着她跳下了围墙。她们的围裙和汤姆身上的衣服，都在跳下来的时候掉光了。

“来啊！水鸭德雷克先生，”这时，娃娃说，“来帮我们给他穿好衣服！来帮汤姆把扣子扣上！”

水鸭德雷克先生侧着身子，慢慢地挪了过来，捡起落在地上的那些衣服。

可是，德雷克先生却将衣服穿到了自己身上！他穿起这些衣服，比汤姆穿起来更加滑稽可笑。

“这是一个多么美好的早晨啊！”水鸭德雷克先生说。

然后，水鸭德雷克先生、杰迈玛和丽贝卡又迈步向大路走去，他们依然保持着刚才的步伐——“啪嗒啪嗒、啪嗒啪嗒”……

这时，塔比瑟·特维切特夫人走进了花园，她看到她的三只小猫全身光溜溜地站在围墙上，一件衣服都没剩。

她把三只小猫从围墙上拉下来，打了他们几巴掌，然后将他们押回了家中。

“我的朋友们很快就要到了，你们一个个却都不能出去见客，我的脸简直被你们丢光了！”塔比瑟·特维切特夫人骂道。

她将三只小猫关到了楼上。然后，她对她的那些朋友说，请大家原谅，三只小猫因患麻疹正躺在床上养病——这当然不是真的了。

事实正相反，他们根本不在床上。他们连一分钟都没有在床上躺过。

不知什么原因，楼上传来一阵阵非常特别的吵闹声，搅乱了楼下那场尊贵、宁静的茶会。

我想，有一天我要另外写一本大书，告诉你们更多有关小猫汤姆的趣事！

至于那些水鸭呢——他们已经下到了池塘里。

那些衣服立刻全都掉进了水里，因为上面一颗纽扣都没剩啊！

你看，水鸭德雷克先生、杰迈玛和丽贝卡小姐，他们直到现在还在寻找那些衣服呢！

水鸭杰迈玛的故事

1908

看到一群小鸭子跟随着一只母鸡，这是多么有趣的画面啊！

——来听听水鸭杰迈玛的故事吧！这几天杰迈玛可气坏了，因为农夫的妻子不许她亲自孵自己的蛋。

她的弟媳——水鸭丽贝卡夫人则完全不同，她非常乐意让其他动物为她孵小鸭子。

“我可没有耐心一直坐在窝里，要待上二十八天呢！你也没有那么大的耐心，杰迈玛。你要知道，你会让蛋着凉的！”

“我希望能孵我自己生的蛋；我要亲自把他们全都孵出来。”水鸭杰迈玛“嘎嘎”地叫道。

杰迈玛千方百计地把她的蛋藏起来，可是那些蛋总会被人找到。最后，她只能眼睁睁地看着它们被人抢走。

水鸭杰迈玛感到绝望极了。她下定决心，一定要在离农场很远很远的地方造一个窝。

一个晴朗的春天的午后，杰迈玛出发了。她沿着大车道向着山冈的方向走去。

她围着一件披巾，头戴一顶女帽。

到达山顶的时候，她看到远方有一片树林。

她想，那里看上去是一个多么安全、清静的好地方啊！

水鸭杰迈玛还不大习惯飞行。她扇动披巾，沿着山坡跑了几步，然后用力向空中一跳。

起飞动作做得很好，所以杰迈玛飞得美极了！

她飞啊，飞啊，飞过树梢，最后在树林中间看到一片开阔的空地。这里的大树和灌木丛都被砍去了。

杰迈玛笨拙地落了地，然后开始摇摇摆摆地四处寻找一个可以做窝的地方，这个地方最好既舒适又干燥，很快她相中了一棵藏在高大的指顶花中间的树桩。

但是——她吃惊地看到一位衣冠楚楚的绅士正坐在树桩上面读着一张报纸。他有一对黑黑的耳朵，高高地竖在头顶。另外，他还长着一脸淡棕色的胡须。

“嘎嘎？”水鸭杰迈玛歪着脑袋，向绅士打着招呼:“嘎嘎？”

那位绅士抬起头，他的目光越过报纸好奇地打量着杰迈玛。“夫人，你是迷路了吗？”他问。

可能是因为树桩稍稍有些潮湿，那位绅士坐在自己那条毛茸茸的长尾巴上!

杰迈玛想，这位绅士不但相貌英俊，而且还彬彬有礼。她连忙解释说，她没有迷路，只是想找一个舒适而干燥的地方做窝。

“啊！是这样吗？原来如此！”有着淡棕色胡须的绅士一边说着，一边好奇地看着杰迈玛。他折好报纸，然后放进了他上衣后摆的口袋里。

随后，杰迈玛开始抱怨多管闲事的母鸡。

“真的吗？多么有趣啊！我希望能让我遇上那只母鸡，到时候我一定会好好教训教训她，让她只管好自己的事就够了！”

“可是，至于做一个窝嘛——那并不难！在我的柴草棚里，有一大堆羽毛。不，我亲爱的夫人，你是不会影响任何人的。你想在那里待多久就可以待多久。”长尾绅士说。

他带领杰迈玛来到一个非常隐秘的地方。在指顶花丛中，有一座看上去有些阴森的房子。

这座房子是用木柴和干草搭建而成的，房顶有两只破桶，一只倒扣在另一只上面，当作烟囱。

“这是我夏天住的地方。你要是想找到我的地洞——哦，我是说冬天住的地方，可就没这么容易了。”好客的绅士说。

在房子的后面，有一间摇摇欲坠的小棚子，是用旧肥皂箱子建成的。绅士打开小棚子的门，让杰迈玛走了进去。

这个小棚子里几乎堆满了羽毛——虽然这里的空气令人窒息，但是却非常舒服和安全。

看到这么一大堆羽毛，水鸭杰迈玛感到非常惊异。可是，这些羽毛实在是太舒服了，她毫不费力地就为自己做好了一个窝。

当她从小棚子里走出来，淡棕色胡须的绅士正坐在一根原木上读报——至少报纸是展开的，可是他的目光却透过报纸的上方，向小棚子这里看着。

他实在是太客气了！他似乎感到有些遗憾，因为杰迈玛要回家去过夜。他答应精心照管杰迈玛的窝，直到她第二天再返回这里来。

他说，他热爱蛋和小鸭子。他为自己能在他的小棚子里看到一窝漂亮的小鸭子而感到自豪。

每天下午，水鸭杰迈玛都会来到树林中。她在她的窝里下了九颗蛋。这些鸭蛋为青白色，每颗都非常大。那位狐狸模样的绅士非常欣赏这些鸭蛋，当杰迈玛不在的时候，他总是习惯地跑过去翻翻它们，然后数一数。

最后，杰迈玛告诉绅士，她决定第二天开始孵蛋了——“我会带一口袋玉米来。这样，在小鸭子破壳之前，我就不必离开我的窝了，否则他们会受凉的。”杰迈玛考虑周全地说。

“夫人，请你不要那么麻烦，还要远远地带一袋玉米来。我完全可以为你提供一些燕麦。不过，在你开始漫长的孵蛋工作之前，我想请你好好吃一顿饭。让我们举办一场只有我们两个参加的宴会吧！你可以从农场的菜园里摘些香草来吗？我们好做一个美味的煎蛋卷。我们还需要鼠尾草、百里香、薄荷，还有两颗洋葱和一把香芹。至于煎蛋卷用的猪油——就由我来负责”有着淡棕色胡须的绅士热情地说。

水鸭杰迈玛真是一个傻瓜！即使这位绅士提到了鼠尾草和洋葱，都没有引起她的怀疑。

回到农场后，她在菜园里走来走去，咬下各种不同的填烤鸭用的香草。

最后，杰迈玛摇摇晃晃地走进厨房，从篮子里拿了两颗洋葱。

牧羊犬凯普看到她走出厨房，问道："你拿那些洋葱做什么？你每天下午都独自去了哪里，水鸭杰迈玛？"

杰迈玛十分敬畏牧羊犬，她将事情的经过原原本本地告诉了凯普。

牧羊犬歪着他那聪明的脑袋，认真地听着杰迈玛的讲述。当她描述到那位文雅的绅士有着淡棕色的胡须时，他裂开嘴笑了起来。

牧羊犬问了杰迈玛几个有关树林的问题，然后又询问了那座房子和小棚子的准确位置。

然后，牧羊犬离开杰迈玛，飞快地向村庄跑去。他准备找两只小猎狐狗来帮忙——他们正在和屠夫一起散步呢。

一个阳光明媚的下午，水鸭杰迈玛最后一次踏上了大车道。她提着一只很重的口袋，里面装有一束束香草和两颗洋葱。

她飞过树林，在长尾绅士家的对面落了地。

这时，长尾绅士正坐在一根木头上。他不停地用力吸着鼻子，嗅着周围的气味，同时不安地巡视着四周的树林。

当杰迈玛落到地上，他猛地跳起身来。

“你看过你那些蛋之后，立刻到我的房子里来，把煎蛋卷用的香草给我，快点儿！”

他的语气非常生硬。水鸭杰迈玛还从来没有听过他这样说话呢！

她感到非常惊讶，还有些不安。

杰迈玛刚走进小棚子，就听到后面响起一阵急促的脚步声。一个黑鼻子的家伙在她的门下闻了闻，然后锁上了门。

杰迈玛开始恐慌起来。

很快，外面响起一阵阵极为可怕的声音——咆哮声、犬吠声、怒吼声、嚎叫声，还夹杂着呻吟声。

然后，有着淡棕色胡须的绅士再也不见了。

不久，凯普打开了小棚子的门，让水鸭杰迈玛走了出来。

不幸的是，两只小猎狐狗飞快地冲进小棚子，而牧羊犬还没有来得及阻止他们，他们便把所有的鸭蛋都吞进了肚子里。

杰迈玛看到，牧羊犬的耳朵被咬了一口，两只小猎狐狗都变成了瘸子。

杰迈玛被护送回家的时候，眼里一直念着泪，因为她在想念她的那些蛋。

六月，杰迈玛生了很多蛋，而且这回她得到了农夫妻子的许可，可以自己孵。不过，这些蛋只孵出了四只小鸭子。

水鸭杰迈玛说，那都是因为她太紧张了。不过说实话，她一直都是一位糟糕的母亲！

大胡子塞缪尔的故事

1908

从前，有一只老猫，她的名字叫做塔比瑟·特维切特夫人。她是一个总在为孩子们发愁的妈妈。她常常会找不到她的小猫，因为他们随时都会跑得无影无踪，然后四处调皮捣蛋！

就在烤点心的那一天，塔比瑟夫人决定把小猫们关在碗柜里。

她捉住了娃娃和米敦丝，可是却怎么也找不到小汤姆了。

塔比瑟夫人跑上跑下地找遍了整座房子，“喵喵”地叫着小猫汤姆。她看过了楼梯下的储藏室，搜查了被单上落满灰尘的最好的客房。她甚至跑到楼上，找遍了整个阁楼，可是还是没有找到小猫汤姆。

这是一座很旧很旧的老房子，到处都是橱柜和走廊。这里的一些墙壁足有四英尺厚，常常会有一些可疑的声音从墙壁里面传出来，好像那里有一架秘密的小楼梯。当然，在壁板上常常会忽然出现一些奇形怪状的小门，然后一些东西会在夜间消失得无影无踪——尤其是奶酪和熏肉。

这时，塔比瑟夫人越来越感到心烦意乱，“喵喵”的叫声充满了恐惧。

当妈妈正在房子里寻找汤姆的时候，娃娃和米敦丝又开始淘气了。碗柜的门并没有上锁，所以她们推开柜门跑了出来。

一盘生面团正放在壁炉前等待发酵。两只小猫走了过去。

她们用柔软的小爪子，轻轻地拍打着面团。“让我们来做可爱的小松饼，好吗？”米敦丝对娃娃说。

可是，正在这时，大门外传来了一阵敲门声，娃娃吓得一下就跳进了装面粉的木桶里。

米敦丝跑进了牛奶间，她跳上放牛奶盘的石板，躲进了一个空罐子里。

原来，敲门的是他们的邻居蕊碧夫人。她来借发酵粉。

塔比瑟夫人走下楼梯，用可怕的声音“喵喵”叫着：“请进，蕊碧表姐，请进，请坐吧！我遇到了一件多么可怕的事啊，蕊碧表姐！”塔比瑟夫人说着，眼泪便掉了下来，“我那亲爱的小儿子汤姆不见了，我担心是老鼠把他抓去了。”她一边说着，一边用围裙擦着眼睛。

“他真是一只顽劣的小猫，塔比瑟表妹。上次我来喝茶，他竟然将我最好的帽子当成了一只小猫的摇篮！你都在哪儿找过他了？”

“这座房子里的每个地方我都找过了！我感到这里的老鼠实在是太多了。有这么一个不守规矩的孩子，我该怎么办呢！”塔比瑟·特维切特夫人伤心地说。

“我不怕老鼠，我来帮你找他好了，而且我还要帮你揍他一顿！壁炉的围栏上怎么都是烟灰？”

“烟囱应该清理了——哦，我的天啊，蕊碧表姐——现在，娃娃和米敦丝也跑出去了！她们两个从碗柜里跑出去了！”

蕊碧和塔比瑟又开始重新搜寻整座房子。她们用蕊碧的伞在床下戳了又戳，然后检查了所有的橱柜。她们甚至还取来一根蜡烛，查看了阁楼上一只装衣服的箱子。结果，她们连汤姆的影子都没有看到！这时，她们听到门重重地响了一声，似乎还有迅速跑下楼的脚步声。

“真的，这里的老鼠已经多得成灾了，”塔比瑟含着眼泪说，“上星期六，我从厨房后面的一个小洞里捉到了七只小老鼠，于是我们把他们当作了晚餐。还有一次，我看见了一位很老的鼠爸爸——一只巨大的老耗子，蕊碧表姐。我正要向他扑过去，他竟然露出他的大黄牙向我呲牙咧嘴，然后很快钻进了鼠洞。

“这些老鼠搅得我心神不宁啊，蕊碧表姐。”塔比瑟夫人说。

蕊碧夫人和塔比瑟夫人找啊，找啊，她们两个都听到阁楼的地板下传来一种奇怪的“咕噜噜”、“咕噜噜”的声音。可是，她们却看不到任何东西。

她们又回到厨房。

“至少，这儿有你的一只小猫。”蕊碧说着，把娃娃从面粉桶里抓了出来。

她们抖掉娃娃身上的面粉，然后将她放到厨房的地板上。可是看上去，她被某些可怕的东西吓坏了。

“哦！妈妈，妈妈，”娃娃报告说，“有一个老母鼠跑进了厨房，她偷走了一块生面团！”

两位猫夫人立刻查看了放面团的盘子。真的，面团上留着一些小爪子抓过的痕迹，而且有一团生面不见了！

“她跑到哪儿去了，娃娃？”

可是，娃娃太害怕了，她躲在木桶里没敢向外看。

蕊碧夫人和塔比瑟夫人将娃娃带在了身边，以便能随时看到她，照顾她的安全。然后，她们开始继续搜索。

她们走进牛奶房，很快就发现了米敦丝正藏在一只空罐子里。

她们将空罐子翻倒，米敦丝从里面爬了出来。

“哦，妈妈，妈妈！”米敦丝叫着。

“哦！妈妈，妈妈，有一只老耗子跑进了牛奶房——一只非常可怕的大耗子，妈妈，妈妈！他偷走了一小块黄油和擀面杖。”

蕊碧夫人和塔比瑟夫人互相看了一眼。

“擀面杖和黄油！哦，我可怜的小儿子汤姆啊！”塔比瑟惊叫着，用力扭着自己的两只手。

“擀面杖？”这时，蕊碧说，“我们在搜查阁楼的时候，难道不是听到了一种擀面的声音吗？”

蕊碧夫人和塔比瑟夫人又冲到楼上。果然，阁楼的地板下非常清楚地传来一阵阵“咕噜噜”、“咕噜噜”擀面的声音。

“啊，事情已经非常严重了，塔比瑟表妹，”蕊碧夫人说，“我们必须马上派人去请约翰师傅，还要让他带上一把锯子。”

现在，让我们来看看小猫汤姆到底发生了什么事！你会发现，在一座非常旧的老房子里爬烟囱是一种多么愚蠢的行为，因为在那里很容易迷路，而且还会遇到一些大耗子。

小猫汤姆不愿意被关在碗柜里，所以当他看到妈妈准备烤点心的时候，就决定自己躲起来。

他找来找去，想找一个可以藏身的好地方，最后他决定爬到烟囱上去。

这时，炉火刚刚点燃，所以烟囱还不是太热。不过，那些嫩树枝在燃烧的时候冒出一股股白烟，熏得人有些透不过气来。小猫汤姆爬上壁炉的围栏，然后抬头看了看这只老式的大壁炉。

这里的烟囱非常宽敞，足够一个人站起身来或者上下走动。这样一个地方，对于像汤姆这样一只小猫来说已经足够大了！

汤姆纵身一跳，跳到壁炉挂水壶的铁架上，并尽力让身体保持着平衡。

汤姆又从铁架向上跳了一大步，落在烟囱里面更高的壁炉架上，还碰掉了一些烟灰。那些烟灰，正好落到壁炉的围栏上。

汤姆咳嗽起来，因为烟囱里的烟熏得他有些喘不过气来。这时，他听到木柴开始燃烧时发出的“噼噼啪啪”的爆裂声，还有一股股热浪从壁炉下涌过来。于是他决定要爬到烟囱顶上去，然后站在房顶的屋瓦上，试着抓几只麻雀玩玩。

“我再也不能回去了。如果我滑下去可能就会掉进火炉里，那样我漂亮的尾巴和我的蓝色小外套都会被烤焦的！”

这个烟囱是一种非常高大的老式烟囱。在它修建的那个年代，人们还在炉膛里烧大段大段的木块呢。

烟囱搭建在房顶上，犹如一座小石头城堡。阳光可以透进烟囱的顶部照射进来，而下面稍稍倾斜的石板可以将雨水挡在外面。

小猫汤姆开始感到害怕了！他不停地向上爬啊，爬啊，爬啊——

他侧着身子，在几英寸厚的烟灰中吃力地向上爬着，简直就像一把清扫烟囱的扫帚。

在一片黑暗里，一切都会变得混乱不堪。烟囱里一个烟道连着一个烟道，非常容易迷路。

后来，虽然烟囱里的烟越来越少，可是小猫汤姆感到他已经迷路了！

他继续向上爬啊，爬啊，可是就在他快要爬到烟囱顶的时候，他却发现砌在墙壁上的石头被撬开了，周围还有几根羊骨头——

“这似乎太离奇了，谁会跑到高高的烟囱里啃骨头呢？哦，我多希望自己从来没有来过这个地方啊！咦，这是什么古怪的味道？好像是老鼠的气味，它太冲了，熏得我直想打喷嚏！”小猫汤姆说。

他挤进那个墙洞，然后沿着一条狭窄的通道极不舒服地向前爬去。这个通道黑漆漆的，几乎看不到任何亮光。

他一路摸索着，小心翼翼地向前爬了一会儿。这时，他已经走到了阁楼墙壁踢脚板的后面，就是图画中标着一个小小的“*”的地方。

黑暗中，他突然一脚踩空跌入了一个洞口，摔在了一堆非常肮脏的破布上。

小猫汤姆站起身来，看了看四周，他发现自己掉进了一个完全陌生的地方。从出生到现在，他虽然一直住在这座房子里，可是他跑来跑去，从来没有跑到过这个地方。这是一个非常窄小的房间，简直毫无趣味可言，里面充满了一股霉烂的臭气，到处都是木板、木棍、蜘蛛网，还有木条和石灰。

就在他的对面——不远的地方，坐着一只巨大的老鼠。

“为什么你带着满身的烟灰掉到了我的床上？”那只老鼠“吱吱”地咬着牙齿说。

“请原谅，先生，我在扫烟囱。”可怜的小猫汤姆回答。

“安娜·玛利亚！安娜·玛利亚！”那只大老鼠尖叫着。然后，伴随着一阵急匆匆的脚步声，一只老母鼠从一根木棒后面探出头来。

只不过一瞬间，母鼠已经扑向了汤姆，在他还没有明白到底发生了什么事情之前——

汤姆的外套被剥了下来，然后他又被卷成一团，被一根绳子捆得结结实实的。

捆汤姆的事是安娜·玛利亚干的。这时，老耗子在一旁看着她，吸着鼻烟。当她把汤姆捆好后，他们两个都坐下来，咧着嘴盯着小猫汤姆。

“安娜·玛利亚，”老耗子（他的名字是大胡子塞缪尔）说，“安娜·玛利亚啊，你给我做一个猫肉布丁卷当晚饭吧。”

“那要有一块生面团、一小块黄油和一根擀面杖。”安娜·玛利亚边说边歪着头打量着小猫汤姆。

“不，”大胡子塞缪尔说，“安娜·玛利亚，用面包屑来做最好了。”

“胡说！黄油和生面团最好。”安娜·玛利亚回答。

两只老鼠凑在一起商量了几分钟，然后一起走了出去。

大胡子塞缪尔钻出壁板上的一个小洞，大胆地走下楼梯，到牛奶房偷了一块黄油。一路上，谁都没有看到他。

他第二次跑进牛奶房，是为了再偷一根擀面杖。他用爪子向前推着擀面杖，简直就像是一个啤酒厂的工人正在推一个啤酒桶。

他能听见蕊碧夫人和塔比瑟夫人唠唠叨叨说话的声音，可是她们此时正手忙脚乱地举着蜡烛检查衣柜呢。

她们一点儿都没有看到他。

安娜·玛利亚爬下壁脚板，然后再爬过一个关着窗户的窗台，溜进厨房去偷生面团。

她先找来一只小碟子，然后用她的小爪子挖了一块生面团。

她没有注意到，娃娃正藏在面粉桶里。

这时，小猫汤姆被独自丢在阁楼的地板下，他不停地扭着身子，“喵喵”地呼叫着救命。

可是，他的嘴里塞满了烟灰和蜘蛛网，而且又被绑得牢牢的，所以没有任何人能够听到他的叫声。

一只蜘蛛从天花板的裂缝中爬出来，远远地用探究的目光打量着那些绳结。

蜘蛛可是一位绳结专家，因为它最习惯捆绑那些不幸的苍蝇了。不过，它才不想救出小猫汤姆。

小猫汤姆不停地扭动着，直到最后全身没有了一点儿力气。

不一会儿，两只老鼠跑了回来。然后，他们开始动手，准备将小猫汤姆做成一只夹心布丁卷。首先，他们给汤姆的身上涂满黄油，然后把他卷进了生面团里。

“这些绳子不会很难消化吧，安娜·玛利亚？”大胡子塞缪尔忽然问道。

安娜·玛利亚怎么回答呢？她说，她认为这个问题并不重要。她只希望小猫汤姆的脑袋不要再乱动，因为那会捅破了馅饼皮。她一直揪着汤姆的耳朵。

小猫汤姆又咬又吐，他“喵喵”地叫着，扭着，而擀面杖在他身上“咕噜噜”地滚过来，又“咕噜噜”地滚过去。两只老鼠各自抓住擀面杖的一头，用力滚着。

“他的尾巴伸出来了！看来，你拿的生面团不够啊，安娜·玛利亚。”

“我已经用了最大力气，把我能拿的都拿来了。”安娜·玛利亚回答。

“我可不相信，”大胡子塞缪尔说着，停下来看了看小猫汤姆，然后接着说，“我可不相信这会是一个好吃的布丁。它有一股煤烟味儿。”

安娜·玛利亚正要在这个问题上和他争辩几句，忽然在他们的头顶传来另外一种声音——那是一把锯子锯木头发出的声音！哦，还有一只小狗“汪汪”叫着，在用爪子抓木板！

两只老鼠丢下手里的擀面杖，竖起耳朵听着。

“我们被发现了，不能再做布丁了，安娜·玛利亚。我们赶快收拾一下我们的东西——还有别人的东西——快点儿逃命吧！

“我担心，我们不得不放弃这个布丁了。不过，不管你怎么说，我还是坚持认为这些绳结不好消化！”

“快走吧，快帮我用床单包上那几块羊骨头，”安娜·玛利亚说，“我还有半块熏火腿藏在烟囱里呢！”

所以，当木工约翰锯开壁板的时候——除了一根擀面杖和卷在一个脏面团里的小猫汤姆，那里已经什么东西都没有了！

可是，那儿依然散发着一股浓浓的老鼠味。

那天上午剩余的时间里，木工约翰一直在那里用力地嗅着、叫着，他摇着尾巴，一次次地将他的脑袋探进鼠洞，就像是一把螺丝钻。

最后，约翰又将木板钉回到墙壁上，然后将工具放进工具包，下楼去了。

这时，小猫一家已经恢复了平静。他们邀请约翰留下来和他们共进午餐。

汤姆身上裹的面团已经被剥了下来，并被做成了一个一个的布丁，而且里面还夹着葡萄干，用来遮盖那些黑乎乎的烟灰。

另外，大家不得不把小猫汤姆放进一盆热水里，洗掉他身上涂的黄油。

木工约翰闻着布丁的香味，很遗憾自己没有时间留下来吃午饭，因为他刚刚为波特小姐做完了一辆手推车，可她又订做了两个鸡笼，他得赶回去干活儿。

那天黄昏的时候，我正向邮局走去——在街道拐角的地方，我抬头看了看小巷，正好看到大胡子塞缪尔和他的妻子跑过去。他们推着一辆小独轮手推车，上面还放着几个大包裹。可是，那辆独轮车看上去很像是我的呢。

他们转了个弯，正要跑进农夫普特托斯的谷仓大门。

大胡子塞缪尔跑得气喘吁吁，上气不接下气，而安娜·玛利亚还在用她那刺耳的声音和他争辩着什么。

她似乎很清楚自己要去哪里，随身带了一大堆行李。

我可以保证，我可从来没有答应将我的手推车借给她！

他们跑进谷仓，用一小截绳子将他们的包裹拉到了干草堆的顶上。

从那天开始，塔比瑟·特维切特夫人家很长时间都看不到老鼠了。

至于说农夫普特托斯，他却几乎被老鼠搞得发狂——在他的谷仓里到处都是老鼠、老鼠！他们吃光了他的鸡食，偷走了他的燕麦和谷糠，而且还将装粮食的口袋咬了无数个小洞。

这些老鼠全都是大胡子塞缪尔夫妇俩的后代——他们的儿子、他们的孙子，还有他们的曾孙子。

他们会没完没了的！

娃娃和米敦丝长大后都成为了出色的捕鼠专家。

她们常常被请到村庄里去捉老鼠，而且深受雇主的欢迎。她们捉一打老鼠的收费很高呢，所以她们生活得非常舒适。

她们把在谷仓门口挂上一排排的老鼠尾巴，告诉人们她们捉住的老鼠是多么多啊——那些猎物成打成打的，数不胜数。

不过，小猫汤姆一直非常害怕老鼠，他从来不敢面对比这个——（小老鼠）更大的东西。

弗洛浦茜的小兔子的故事

1909

有人说，莴苣吃太多了会想睡觉。我吃了莴苣可从来没有打过瞌睡。当然，我并不是一只小兔子。

不过，对于弗洛浦茜家的小兔子们来说，莴苣的确能让他们很快就睡着。

小兔子本杰明长大了，他和表妹弗洛浦茜结了婚。他们生了一大群孩子，每天都过得无忧无虑，非常快乐。

我可记不住每个兔娃娃的名字，通常大家都叫他们“弗洛浦茜的小兔子”。

由于家里的食物并不总是够吃——那时，本杰明就会向弗洛浦茜的弟弟去借几棵卷心菜。弗洛浦茜的弟弟呢，就是小兔子彼得，他自己有一个苗圃。

有时候，小兔子彼得也没有多余的卷心菜借给他的亲戚。

每当这个时候，弗洛浦茜家的小兔子们就会蹦蹦跳跳地穿过田野，来到一个垃圾堆找东西吃。这个垃圾堆呢，就在麦克古格先生家菜园外的沟渠里。

麦克古格先生的垃圾堆简直是个杂货堆——里面有果酱瓶、纸袋，还有割草机割下的一堆堆青草，这些青草吃到嘴里总是滑溜溜的。另外，垃圾堆里还有一些腐烂的西葫芦和一两只旧靴子。有一天——哦，多开心啊！——那里居然有一些叶子肥大的莴苣，而且还“开”了花。

弗洛浦茜的小兔子们吃啊，吃啊，小肚皮里很快便装满了莴苣。不久，小兔子们开始打起瞌睡，最后一个接一个地倒在了割过的青草上。

本杰明是爸爸，他可不像他的孩子们那样容易睡着。在睡觉前，他还想到在自己的头上蒙了一个纸袋，免得苍蝇一会儿飞过来打扰了他的好梦。

在温暖的阳光下，弗洛浦茜的小兔子们睡得美极了。

远远地，从菜园另一边的草坪上响起割草机的“噼啪”声。青蝇们总是闹哄哄的，他们在围墙附近不停地飞来飞去。这时，一只小老鼠正在垃圾堆的果酱瓶里寻找着食物。

我可以告诉你这只小老鼠的名字，她叫托马西娜·小点点鼠，是一只长尾巴丛林鼠。

小点点鼠“沙沙”地爬过纸袋，吵醒了小兔子本杰明。

小老鼠很不好意思，她一再表示歉意。她说，她认识小兔子彼得。

小点点鼠和本杰明正在围墙下谈话的时候，头顶上突然传来一阵沉重的脚步声。啊，麦克古格先生将一整袋刚割下的青草倒了下来，这些青草正好倒在熟睡的弗洛浦茜的小兔子们身上！

本杰明急忙躲到他的纸袋下，小点点鼠也藏进了一只果酱瓶里。

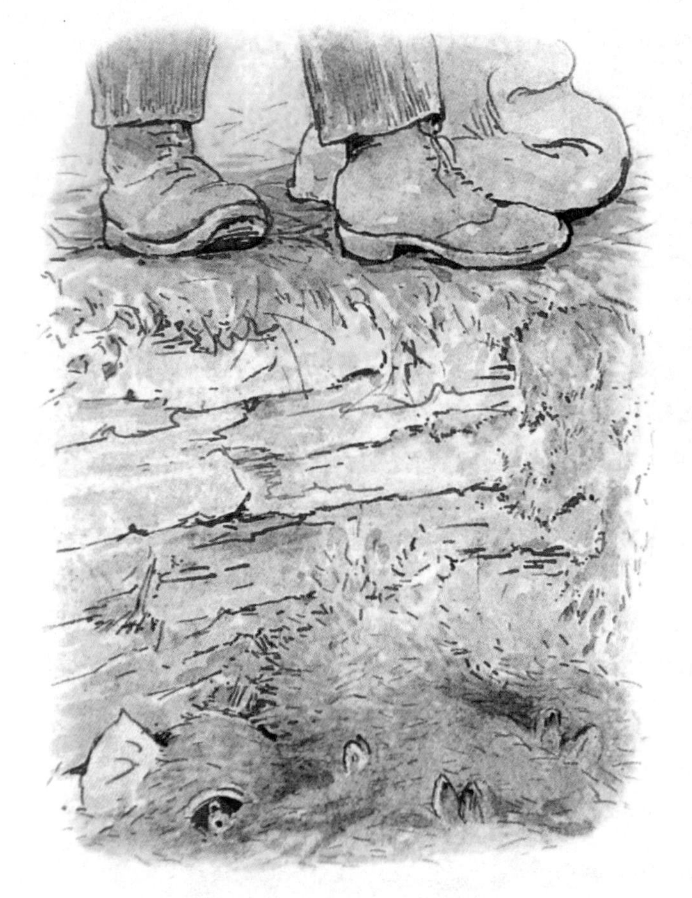

在降落的“草雨”下，小兔子们仍沉浸在甜蜜的睡梦中，微笑着。他们根本没有被吵醒，因为那些莴苣实在太让人想睡觉了。

小兔子们梦见了他们的妈妈弗洛浦茜，这时，她正在用手给他们抚平他们睡觉的干草床。

至于麦克古格先生呢，他倒空草袋后，站在围墙上向下看了看。突然，他看到几只褐色的小耳朵尖竖在刚割下的青草堆外，看上去非常滑稽！他看着这些小耳朵，看了好一会儿。

不久，一只苍蝇飞来，落到一只小耳朵尖上，那只小耳朵竟然还动了动。麦克古格先生跳下围墙，向垃圾堆走去——

“一、二、三、四！五！六只小兔子！”他一边数着，一边将小兔子们捉进了他的口袋。

这时，弗洛浦茜的小兔子们梦见，他们的妈妈正在床上给他们翻身呢！他们在睡梦中扭动了一下，可是仍没有醒来。

麦克古格先生扎紧口袋，将它放到了围墙上。

然后，他走向草坪，去将割草机放好。

在麦克古格先生走了之后，小兔子弗洛浦茜夫人——她一直留在家中——穿过田野，向这里走来。

她疑惑地看着围墙上的那只口袋，感到非常惊奇，她不知道她的小兔子们都去了哪里？

小点点鼠从果酱瓶里跑出来，本杰明也拿开了他头上的纸袋，他们将刚才发生的那幕悲剧告诉了兔妈妈。

本杰明和弗洛浦茜感到绝望极了，因为他们根本解不开口袋上的绳子。

可是，小点点鼠非常聪明，她将口袋下面的一个角咬出了一个洞。

小兔子们被一个一个地拉出来，然后又被拍醒了。

他们的父母往空口袋里塞了三个烂西葫芦、一把旧毛刷和两个烂萝卜。

然后，他们全都躲进了灌木丛，在那里等待着麦克古格先生。

麦克古格先生回来后，提起口袋就走。

他吃力地提着口袋，看来那只口袋相当重呢！

弗洛浦茜的小兔子们远远地跟在他后面，和他保持一个安全的距离。

小兔子们看着麦克古格先生走进了他住的房子。

小兔子们悄悄爬过去，在窗口下听着房子里的动静。

麦克古格先生将口袋重重地扔在石板地上。这时，弗洛浦茜的小兔子们如果还在口袋里，一定会摔得很疼。

小兔子们听到麦克古格先生拉过一把椅子，咯咯地笑着。

“一、二、三、四、五、六只小兔子！”麦克古格先生数着口袋里的小兔子。

“咦？这是怎么回事？那是什么东西？”麦克古格夫人问道。

“一、二、三、四、五、六只小肥兔子！”麦克古格先生一边回答，一边数着他的手指：“一、二、三——”

“你别犯傻了！你在干什么，你这个愚蠢的老家伙？”

“在口袋里！一、二、三、四、五、六！”麦克古格先生说。

这时，弗洛浦茜最小的小兔子跳上了窗台。

麦克古格夫人提起口袋，用手摸了摸。她说她感觉的确是六只，但是他们一定是老兔子，因为他们摸起来不但太硬了，而且形状完全不同。

“他们一点儿也不好吃，不过兔皮很暖和，正好可以给我做一个斗篷。”

“给你做斗篷？”麦克古格先生大叫道：“我要把他们卖了，然后买我自己的烟草！”

“兔子烟草！我要一个个剥他们的皮，砍下他们的脑袋！”

麦克古格夫人解开口袋，将手伸进了口袋里。

当她感到口袋里都是一些烂蔬菜时，她变得非常非常愤怒。她骂麦克古格先生是“别有用心”。

麦克古格先生也非常生气。

这时，一个烂西葫芦飞出厨房的窗口，正好打中了弗洛浦茜的小儿子。打得很疼呢!

本杰明和弗洛浦茜想，他们该回家了。

结果，麦克古格先生没有得到他的烟草，麦克古格夫人也没有得到她的兔皮。

不过，第二年的圣诞节到来的时候，托马西娜·小点点鼠却收到了一份礼物。哦，那些兔毛足够她给自己织一件斗篷、一条头巾、一只漂亮的暖手笼和一副温暖的连指手套了！

金吉尔和皮克斯的故事

1909

从前，一个村庄里有一家商店，店名写在商店的橱窗上，那个名字是“金吉尔和皮克斯”。

那是一家非常小的小商店，只适合洋娃娃们来买东西——所以露辛达和厨师简·多尔经常到这里来买一些杂货。

对于小兔子们来说，柜台的高度非常合适。“金吉尔和皮克斯”的红点图案手帕卖一便士另加四分之三便士。另外，这里也卖糖、鼻烟和橡胶套鞋。

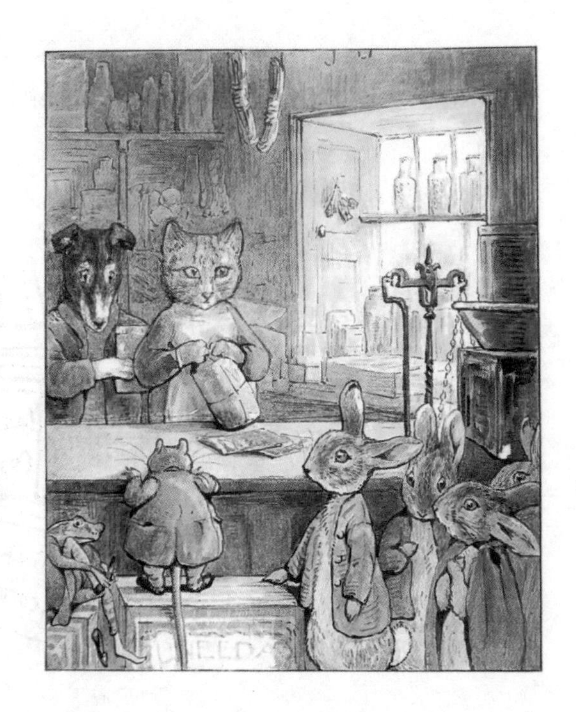

事实上，这虽然是家很小的店，可是它卖的货物几乎应有尽有——除了几样你临时要的东西，比如鞋带、发夹和羊排等等。

金吉尔和皮克斯是这家商店的主人。金吉尔是一只黄色的雄猫，皮克斯是一只灵敏的小猎狗。

小兔子们总是有点儿怕皮克斯。

小老鼠们也是这家商店的顾客——只是，他们对金吉尔怕极了。

金吉尔总是请皮克斯去接待那些小老鼠，因为他说，他看到小老鼠就会忍不住流口水。

“每次看到他们一个个带着小包裹走出去，我实在受不了！”他说。

“我也有这样的感觉呢！”皮克斯回答，“可是，我们决不能吃我们的顾客。那样，他们就会不来我们这儿，跑到塔比瑟·特维切特的商店去。”

“恰恰相反，他们会没有地方可去了。”金吉尔沮丧地说。

塔比瑟·特维切特是村庄里另一家商店的主人。她从来不赊账。

金吉尔和皮克斯却允许顾客无限赊账。好了，“赊账”的意思就是说：一位顾客要买一条肥皂，可是这位顾客却不用打开钱包付钱——她说她以后再付。

这时，皮克斯会向她鞠一个躬说："随意，夫人。"然后，他再把顾客赊欠的商品和价钱记在一个本子上。

尽管，顾客们非常害怕金吉尔和皮克斯，可他们却总是来了又来，从这里买走大量东西。

不过，被称为"钱柜"的盒子里却一个钱都没有。

每天，顾客们都会成群结队地涌进“金吉尔和皮克斯”，买走大量商品，尤其是购买太妃糖的顾客数量最多。可是，他们总是没有钱！即使是买价值一便士的薄荷糖，他们也不会付钱。

不过，这里的东西卖得飞快，它的销量比塔比瑟·特维切特的商店要高出十倍呢！

由于一直没有钱，金吉尔和皮克斯只能吃他们卖的食物。

皮克斯吃饼干，金吉尔吃一种干鳕鱼。

商店每天关门后，他们就在烛光下吃着这些东西。

1月1日到了，他们还是没有钱，因此皮克斯没有钱去买狗执照了。

“多么令人讨厌啊，我真害怕警察！”皮克斯说。

“这都是你自己的错，因为你生下来就是一只小猎狗。我呢，我就不需要什么执照，牧羊犬凯普也不需要执照。”

“多么让人不安啊，我担心我会被警察传唤！我也试着到警察局去赊账，希望拿到一张执照，可是他们不同意。”皮克斯说，“这里怎么到处都是警察呢，我在回来的路上还遇到了一个。

“让我们再送一份账单给大胡子塞缪尔吧，他已经赊欠了二十二先令九便士的熏肉钱。”

“我看，他根本就不打算付这笔钱。”金吉尔回答。

“我敢肯定，安娜·玛利亚老是偷东西——要不然，那些奶油苏打饼干都跑到哪儿去了？”

“你自己吃了呗。”金吉尔回答。

金吉尔和皮克斯走进商店后面的客厅，他们平时都是在这里记账。

他们把账单上的欠款一项项地加在一起。

“大胡子塞缪尔的欠账加起来，就像他的尾巴那样长！自从10月以来，他已经赊欠了一盎司加三分之一盎司的鼻烟。

“怎么办，还有七磅黄油——价格为每磅一先令三便士，还有一条封蜡和四盒火柴？”

“再向每一位顾客致以一份账单的问候吧！”金吉尔说。

过了一会儿，他们听到商店里传来一种异样的声音，似乎有人推门走了进来。他们急忙从后面的客厅跑过去，只见商店的柜台上放着一封信，还有一个警察正在笔记本上写着什么。

皮克斯气得几乎要大发脾气，他不停地“汪汪”叫着，做出要向前冲的架势。

“咬他，皮克斯！咬他！”金吉尔躲在一个糖桶后面，气急败坏地说，“他只是一个德国洋娃娃！”

那位警察没有理会他们，继续在他的笔记本上写啊写啊。有两次，他把铅笔放到了他的嘴里，还有一次把铅笔伸进了旁边的糖浆中。

皮克斯不停地“汪汪”叫着，直到把喉咙都喊哑了。可是，那位警察仍然一句话都不说。他的眼睛是玻璃珠子做的，头盔则是用线缝在头上的。

后来，当皮克斯最后一次要向前冲的时候——他发现商店里已经空了。那位警察消失不见了。

可是，那封信还留在那里。

“难道你不认为，他是去找真正的活警察了？我真担心这是一张传票！”皮克斯看着那封信说。

“不是，”金吉尔打开那封信，回答道，“这是商店的费用和税单，共三英镑十九先令十一便士另加四分之三便士。”

“这真是致命的打击！”皮克斯说，“我们只好关闭这个商店了！”

他们关闭了商店，然后离开了村庄。不过，他们并没有远离这里，而是一直留在附近一带。事实上，有些人还真的盼望他们走得远一点儿呢！

目前，金吉尔住在养兔场。我不知道他在从事什么工作，可是他看上去非常健壮，似乎过着舒适的生活。

皮克斯现在是一个猎场的守卫。

“金吉尔和皮克斯”关闭后，村庄里的居民感到他们的生活变得很不方便。塔比瑟·特维切特立刻将她的货物提了价，每件商品涨半便士，而且她仍保留着以前的规矩，拒绝任何赊欠。

当然，也常常有商贩的货车光顾这里——比如屠夫、鱼贩，还有面包师蒂莫西。不过，谁也不能只靠“斯德韦格斯”、松糕和黄油面包活下去啊——即使那些松糕和蒂莫西做的一样好也不行啊！

过了一段时间，冬眠鼠约翰先生和他的女儿开始卖薄荷糖和蜡烛。

可是，他们卖的并不是那种六根一套的蜡烛。他们卖的蜡烛，一根足有七英寸，要五只小老鼠才能抬走。

另外——在暖和的天气里，他们卖的这些蜡烛就变得好奇怪哟！

顾客们拿着变软的蜡烛向冬眠鼠小姐抱怨，要求退货，可她拒绝了他们的要求。

冬眠鼠约翰先生听到顾客的抱怨，他躺在床上，除了“真舒服”什么都不说。他这么做，可真不适合经营零售店。

当母鸡萨莉·汉妮·彭妮贴出印好的海报，说她要重开商店的时候，大家都感到非常高兴——海报上写着：汉妮开业大减价了！各种商品大拍卖！彭妮的货物真便宜！快来买，快来试，快来买啊！

这张海报真是具有极大的诱惑力。

开业那天，真是热闹非凡。商店里挤满了顾客，饼干罐上站满了老鼠。

萨莉·汉妮·彭妮在给顾客找钱的时候显得非常忙乱，但她坚持收现金；其实她也并无恶意。

彭妮准备了各种诱人的便宜货。
这使得每位顾客都很高兴。

故事讲完了。

小点点鼠夫人的故事

1910

从前，有一只丛林鼠，她的名字是小点点夫人。

她居住在树篱下的一个沙洞中。

多奇异的一座房子啊！里面有长长的沙土走廊，通往储藏室、坚果地窖、种子地窖，它们全都建造在树篱的树根之中。

这座房子有一间厨房、一间客厅、一间餐具室和一间食品室。

另外，这里还有小点点夫人的卧室，她就睡在一张小小的箱床上！

小点点夫人是一只极爱整洁的小老鼠，她总是不停地清理、打扫她那柔软的沙地板。

有时，一只甲虫在走廊里迷了路。

“去！去！小脏脚！”小点点夫人一边说着，一边敲着她的簸箕。

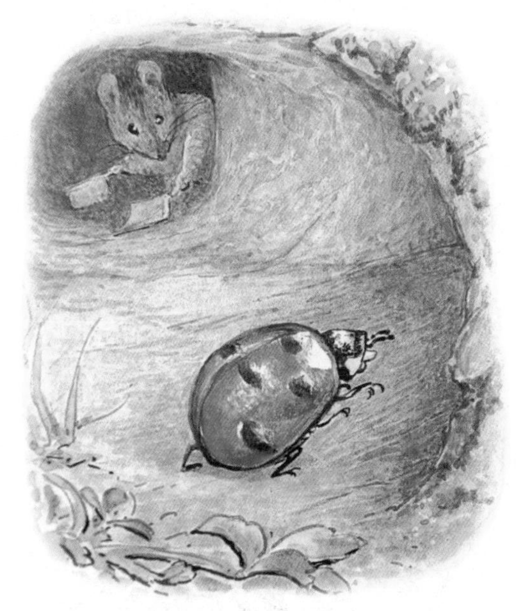

一天，一个身穿红色斑点斗篷的小老太太，在她的洞里跑来跑去。

“你的房子着火了，瓢虫妈妈！快飞回家去救你的孩子们吧！”

另一天，一只肥胖的大蜘蛛从雨中飞进沙洞，希望在这里避避雨。

“请问，这是莫菲特小姐的家吗？”

“走开，你这只大胆的坏蜘蛛！你竟敢把我这么干净的屋子挂满蜘蛛网！”

她立刻把蜘蛛赶到了窗外。

蜘蛛慌忙攀着一根长长的细丝，爬下了树篱。

这天，小点点夫人走向最远的储藏室，她要去取一些樱桃核和蓟花种子作为她的晚餐。

她走在长长的走廊上，一边用力吸着鼻子嗅来嗅去，一边观察着地板。

“我闻到了一股蜜蜂的味道。难道是外面树篱中的报春花开花了吗？我确信，我完全可以辨认出那些小脏脚印。”

突然，在走廊拐角的地方，她遇到了芭比蒂·芭波尔——“嘤嘤，嗡嗡，嗡嗡！”大黄蜂说道。

小点点夫人严厉地看着她，她多么希望自己手中有把扫帚啊！

“你好，芭比蒂·芭波尔。我很高兴去你那里买些蜂蜡。可是，你到这里来干什么呢？为什么你总是从窗口飞进来，不停地说嘤嘤，嗡嗡，嗡嗡？”小点点夫人有些生气了。

“嗡嗡嗡，呜呜，呜呜呜！”芭比蒂·芭波尔也怒气冲冲地尖叫着。

鼠夫人不再理她，她侧身沿着走廊继续向前走，最后走进一间储存橡子的储藏室。

在圣诞节之前，小点点夫人便吃完了橡子，因此储藏室应该是空的。

可是，里面却堆满了乱七八糟的干苔藓。

小点点夫人开始向外拉那些苔藓。这时，三四只蜜蜂探出头来，“嗡嗡嗡”地大声叫着。

“我可没有出租房屋的习惯。这简直是非法入侵！”小点点夫人说，“我一定要把他们赶出这里——”

“嗡嗡嗡！嗡嗡！嗡嗡嗡！”

“可是，我不知道谁能帮我呢？”

“嘤嘤，嗡嗡，嗡嗡！”

“我可决不能去请杰克逊先生，因为他从不把他的脚擦干净。”

小点点夫人决定，晚餐后她再去赶走那些蜜蜂。

当她返回客厅时，听到里面传来洪亮的咳嗽声。哦，坐在那里的正是杰克逊先生！

此刻，他全身挤坐在一张小小的摇椅里，正微笑着摆弄他的拇指，而他的两只脚竟然架在壁炉的围栏上。

他居住在树篱下的排水沟里——一个肮脏而又潮湿的水沟。

“你好吗，杰克逊先生？天啊，亲爱的，你都湿透了！”

“谢谢，谢谢，谢谢，小点点夫人！我要在这里坐一会儿，把全身烘干。”杰克逊先生说。

他坐在那里，微笑着，水顺着他的外套下摆滴落到地板上。唉，小点点夫人只好拿来一把拖把，围着杰克逊先生不停地拖来拖去。

杰克逊先生在那里坐了很久，小点点夫人只好问他是不是要留下来一起吃晚餐。

首先，她给他端来了樱桃核。

“谢谢，谢谢，小点点夫人！我没有牙齿，没有牙齿，没有牙齿！”杰克逊先生说。他张开嘴，张得简直太大了，完全没有必要！的确，他的嘴里没有一颗牙齿。

然后，小点点夫人又给他端来了蓟花种子。

杰克逊先生说：“嚏，阿嚏，阿嚏！噗！”杰克逊先生打着喷嚏，把蓟花毛吹得满屋子飞，“谢谢，谢谢，谢谢，小点点夫人！现在，我真正——真正想要吃的——那是一小盘蜜蜂啊！”

“我恐怕不能满足你的愿望，杰克逊先生！”小点点夫人急忙说。

“嚏，阿嚏，阿嚏，小点点夫人！”杰克逊先生微笑着说，“我闻到了蜂蜜的气味。这就是我为什么会来拜访你的原因啊！”

杰克逊笨手笨脚地从餐桌边站起来，然后开始在食品柜里看来看去。

小点点夫人手里拿着一块抹布跟在他身后，不停地擦着他留在客厅地板上的那些巨大的湿脚印。

当杰克逊先生看到食品柜里的确没有蜜蜂，他开始沿着走廊向前走去。

“真的，真的，你挤不进去，杰克逊先生！”

“阿嚏，阿嚏，小点点夫人！”

首先，他挤进了餐具室。

“嚏，阿嚏，阿嚏！没有蜂蜜？没有蜂蜜，小点点夫人？”

三只小爬虫正藏在餐具架上。其中有两只逃走了，可是最小的一只却被他捉住了。

随后，杰克逊先生挤进了食品室。蝴蝶小姐正在那里品尝方糖，可是她很快就飞到窗外去了。

“嚏，阿嚏，阿嚏，小点点夫人，你似乎有很多客人啊！”

“他们全都是不请自来！”小点点夫人说。

他们沿着沙土走廊继续向前走去，“嚏，阿嚏——”

“嘤嘤！嗡嗡！嗡嗡!”

杰克逊先生在走廊转角的地方遇到了芭比蒂，他一把抓住她，可是随后又把她放下了。

“我可不喜欢黄蜂，他们全身都是倒竖的毛。”杰克逊先生说着，用他的外套袖子擦擦嘴。

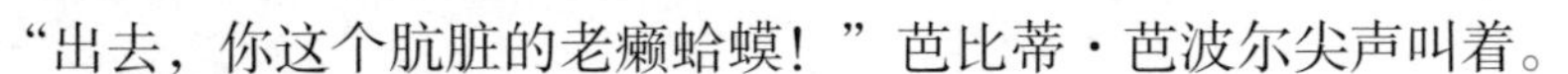

“出去，你这个肮脏的老癞蛤蟆！”芭比蒂·芭波尔尖声叫着。

“我简直快要发疯了！”小点点夫人生气地说。

杰克逊先生把蜂巢拉出来时，小点点夫人躲进了藏坚果的储藏室里。杰克逊先生似乎并不害怕蜜蜂尾巴上的尖刺。

当小点点夫人走出储藏室的时候，客人们都已经走了。

可是，到处都脏乎乎的，简直可怕极了——“这么又脏又乱的地方，我这辈子还从来没有见过！到处都是滴下的蜂蜜、苔藓、蓟花毛，还有大大小小的脏脚印——哦，我最干净的房子已经变得一团糟了！”

小点点夫人一点点清理干净苔藓和丢弃的蜂蜡。

然后，她走出沙洞，找来一些嫩树枝搭在了门口。

“现在，我把门口弄得这么小，可以挡住杰克逊先生了！”

她从储藏室取来肥皂、法兰绒抹布和一把新毛刷。可是，她太累了，已经没有力气做任何事情了。

她坐在椅子上，开始打起了瞌睡，后来只好上床去睡觉了。

“什么时候才能像原来那样干净呢？”可怜的小点点夫人说。

第二天，小点点夫人早早地起了床，开始进行春季大扫除。这次大扫除，整整进行了两个星期。

她扫啊、擦啊、掸啊！她用蜂蜡擦亮了家具，还把她的那些锡制小汤匙也擦得亮晶晶的。

当她把家里整理得漂漂亮亮、干干净净，她举办了一场宴会。她邀请了另外五只小老鼠，却没有邀请杰克逊先生。

杰克逊先生闻到诱人的香气，急忙登上了堤岸，可是他却挤不进小点点夫人的门口了。

小老鼠们用橡子杯倒了满满一杯蜂蜜，从窗口递给杰克逊先生。不过，杰克逊先生一点儿都没有生气。

他坐在阳光下，对小点点夫人说："嚏，阿嚏，阿嚏！祝你身体健康啊，小点点夫人！"

提米·提普托斯的故事

1911

从前，有一只胖胖的灰色小松鼠，生活得非常富裕，他的名字叫做提米·提普托斯。在一棵大树的树尖上，他用树叶搭建了一座小屋。

他的妻子也是一个小松鼠，名字叫做古蒂·提普托斯。

一天，提米·提普托斯坐在屋外，享受着微风，他摇动着自己的尾巴，“咯咯”地笑着说:“我的小妻子古蒂啊，树上的坚果已经成熟了，我们得储藏一些准备冬天和春天吃啊！”

古蒂·提普托斯呢，此刻正忙着把苔藓推到他们的小屋下:“这间小屋太暖和了，我们一定会舒舒服服地睡上一个冬天。”

“春天，我们醒来的时候会很瘦弱，可那时候还什么吃的都没有呢！”提米·提普托斯深有远见地回答。

提米和古蒂·提普托斯来到长满坚果的灌木丛，他们发现其他小松鼠已经在采摘坚果了。

提米脱下他的外衣，挂在一根小树枝上，然后他们就开始一声不响地干起来。

每天，他们都会来回跑好几趟，以便多采摘一些坚果。他们将采摘的坚果装进口袋，然后运回来，分别储存在离他们居住的大树不远的几个空树桩里。

当大树桩装满了坚果，提米和古蒂就把口袋里的坚果倒进一个高高的树洞里。这个树洞过去是啄木鸟的家。坚果“叽里咕噜”地滚啊——滚啊——滚啊，然后就一直滚到树洞底下去了。

“哦，你怎么才能把它们再拿出来呢？这个树洞简直就像是一个储钱罐！”古蒂说。

“在春天到来之前，我可是会变得很瘦呢，亲爱的！”提米·提普托斯说着，向树洞里看了看。

提米和古蒂储藏了大量坚果——因为，他们从来没有弄丢过它们！那些将坚果埋在地里的松鼠，他们往往会丢失一大半坚果，因为他们总是忘记自己将它们埋在什么地方了。

在这个树林里，有一只最健忘的小松鼠，他的名字叫做银尾巴。每当到了挖坚果的时候，他就会记不起自己把坚果埋藏到什么地方了，然后他就到处挖啊、挖啊，往往会挖到其他松鼠埋藏的坚果，结果就会爆发一场战斗。那么，其他松鼠也开始到处挖啊、挖啊——最后，整个树林都会乱成了一团。

不幸的是，这时飞来一群小鸟，他们在灌木丛中飞来飞去，寻找着绿毛虫和蜘蛛。有几种小鸟，他们“叽叽喳喳”地会唱各种不同的歌。

第一只唱道：“谁藏起了我的坚果？谁挖走了我的坚果？”

另一只唱道：“一块小面包，可是没干酪！一块小面包，可是没干酪！”

松鼠们好奇地跟在小鸟后面，仔细听着他们在唱什么。第一只小鸟飞进了灌木丛，提米和古蒂·提普托斯正在那里默默地捆扎装坚果的口袋。这时，小鸟唱了起来:“谁藏起了我的坚果？谁挖走了我的坚果？”

提米·提普托斯继续扎着口袋，没有理会他。当然，小鸟也没有期望得到回答，他们只是唱着自然的歌，而那些歌词没有任何意思。

可是，其他的小松鼠听了这些歌，立刻冲向提米·提普托斯，他们抓住他又打又挠，还推翻了他那个装坚果的口袋。那只天真的小鸟看到自己闯了祸，吓得赶快飞走了！

提米·提普托斯打了个滚儿，转身便向他的小屋跑去。在他的身后，紧紧跟随着一群小松鼠，他们不停地大喊着:“谁挖走了我的坚果？”

小松鼠们捉住了提米。他们把提米拖上那个有着一个小圆洞的大树，然后把他推进了树洞。对于胖胖的提米·提普托斯来说，这个树洞实在太小了。小松鼠们那样用力压他，竟然没有折断他的肋骨，简直是个奇迹！

“我们要把他丢在这儿，直到他认错为止。”小松鼠银尾巴说，然后他又对着树洞大喊了一声:“谁—挖—走了—我的—坚果？”

提米·提普托斯没有回答。他跌进树洞，落在他自己收藏的半洞坚果上。他昏了过去，躺在那里一动也不动。

古蒂·提普托斯捡起装坚果的口袋，慢慢走回家。她为提米·提普托斯沏了一杯茶，可是他没有回来，一直都没有回来。

古蒂·提普托斯度过了一个孤独而又伤心的夜晚。第二天早晨，她冒险返回灌木丛寻找提米，可是那些无情的小松鼠把她赶走了。

她寻遍了整个树林，不停地喊着：“提米·提普托斯！提米·提普托斯！哦，你在哪儿啊，提米·提普托斯？”

提米·提普托斯醒了过来。他发现自己躺在一张小青苔床上，全身疼痛；四周漆黑一片，看起来好像是在地底下。提米咳嗽着，呻吟着，因为他的肋骨受了伤。

这时，他听到一个快活的声音，然后一只身上带有斑纹的小花栗鼠举着一盏灯出现在他面前，问他感觉好些了没有？

小花栗鼠对提米·提普托斯极为和善，他借给提米一顶睡帽。另外，这个树洞里装满了食物。

花栗鼠告诉提米，“坚果雨”从树上的洞口落下来——“另外，我还找到一些埋在地里的坚果！”

花栗鼠听了提米的故事，一直在笑个没完没了。当提米躺在床上养病的时候，花粟鼠一直劝他多吃一点。“可是，如果我瘦不下来，怎么能从这个树洞爬出去呢？我妻子会担心的！”

“再吃一个——或者两个坚果，让我来为你敲开它。”花栗鼠说。

就这样，提米·提普托斯变得越来越胖了。

现在，古蒂·提普托斯只能自己重新开始工作了。她不再将坚果储藏在啄木鸟的树洞里，因为她一直怀疑再也不能把它们拿出来。她把坚果藏进一个大树根里，可是它们滚啊，滚啊，一直滚了下去。有一次，当古蒂倒空一大口袋坚果时，她听到一声清晰的尖叫。第二次，古蒂又带回了满满一口袋坚果，这时一只身上有斑纹的小花栗鼠慌慌张张地钻出了树根。

“楼下已经装满了！客厅也满了，它们已经滚到走廊里来了！我丈夫花栗鼠哈齐已经跑走了，他把我独自留在了这里。我真不明白，怎么会有这种坚果雨呢！”

“我感到很抱歉，真的，我不知道你住在这里。”古蒂·提普托斯夫人说，“可是，花栗鼠哈齐去哪儿了？我的丈夫提米·提普托斯也逃走了。”

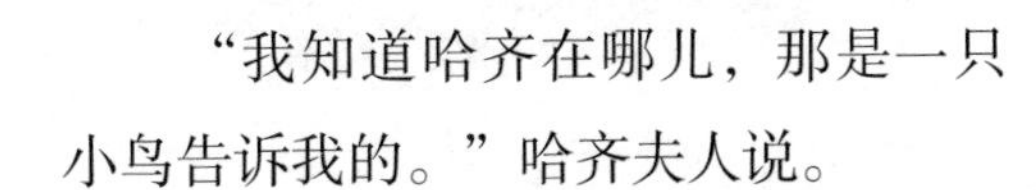

“我知道哈齐在哪儿，那是一只小鸟告诉我的。”哈齐夫人说。

哈齐夫人带着古蒂来到啄木鸟的树洞前，她们站在洞口仔细听着。

树洞底下传来坚果裂开的声音，一只胖松鼠和一只瘦松鼠一起唱起来:

我的小老头和我吵了一架，

我们怎样才能和好啊，我的小老头？

你快跟我和好吧，

你走了，你这个小老头！

“你可以从这个小圆洞钻进去。”

“是的，我可以进去，”花栗鼠说，“可是，我丈夫花栗鼠哈齐会咬我的！”

这时，树洞下面又传来一阵坚果裂开的声音，而且还有咀嚼声。胖松鼠和瘦松鼠又唱了起来：

为了悠闲的一天又一天，
悠闲啊，不该受责难，
多么悠闲的一天又一天！

这时，古蒂探头向洞内望去，她对着下面喊道：“提米·提普托斯！哦，呸，提米·提普托斯！”

提米·提普托斯答道：“是你吗，古蒂·提普托斯？哦，当然是你！”

提米爬到洞口，想要伸出头来亲吻古蒂，可是他实在是太胖了，根本出不来！

花栗鼠哈齐并不太胖，可是他不愿意出去。他蹲在洞底，“咯咯”地笑着。

两个星期过去了。一天，一阵大风刮走了大树的顶梢，因此树洞被打开了，雨水落进了树洞中。

提米·提普托斯爬出树洞，打着一把伞回家了。

可是，花栗鼠哈齐又在树洞里露宿了一个星期，尽管他感到一点儿都不舒服。

最后，一只大狗熊走进了树林。他四处嗅着，或许他也在寻找坚果呢！

花栗鼠哈齐急忙跑回家去了！

花栗鼠哈齐回到家中，发现自己患了伤风，所以他就更不舒服了。

现在，提米和古蒂·提普托斯把他们的坚果储藏室用小锁锁了起来。

每当小鸟看到那花栗鼠，他就会唱——“谁挖走了我的坚果？谁挖走了我的坚果？”

但是，从来没有人回答他！

故事讲完了。